D0246798

ULTRA 3-D®

IMAGES EN TROIS DIMENSIONS

5740 Ferrier, Montréal, Quebec, H4P1M7,

ISBN : 2-89393-360-2

Texte librement adapté de l'anglais par les éditions Phidal et Denis-Armand Canal.

AVANT-PROPOS

Bienvenue dans le nouveau monde de l'Art en trois dimensions !
On connaît depuis quelque temps déjà les stéréogrammes et les images tridimensionnelles – mais nous voici dans une ère nouvelle où il suffit de nos yeux et de notre esprit pour créer de stupéfiantes illusions d'espace et de profondeur. La puissance de suggestion de cette nouvelle forme d'art est saisissante : vous vous sentirez emporté bien au-delà des limites de la page imprimée, et vous aurez l'illusion parfaite de spectacles grandioses qui paraissent réels.

Sitôt entré dans le livre, vous partirez pour un périple fantastique.
Ces images époustouflantes, obtenues grâce à un mélange savant d'art et de science, vont vous transporter dans vingt cinq univers différents, incroyablement riches de détails extraordinaires. Fixez les images colorées de ULTRA 3D en suivant le mode d'emploi : après quelques secondes, elles vont se mettre à bouger, à flotter, à se dilater... puis elles s'ordonneront, et soudain... vous serez ailleurs !

Vous plongez au sein de l'océan, au milieu des dauphins espiègles et des baleines majestueuses.
Vous filez aux confins extrêmes de notre galaxie, dans le rugissement des aéronefs étincelants.
Vous parcourez les jungles tropicales, à la rencontre de leurs mystérieux habitants
et de leur multitude bigarrée.
Vous sillonnez le ciel sur les ailes d'une monture mythique
et les immensités de la terre se déroulent à l'infini sous vos yeux.

ULTRA 3-D® a été créé pour tous.
C'est un défi de création novatrice lancé au lecteur et au plus subtil des spectateurs
– mais c'est aussi une expérience de détente intellectuelle, unique dans sa nouveauté.

BON VOYAGE ET BONS RÊVES !

Correctement regardés, les stéréogrammes et autres images en trois dimensions réservent d'innombrables surprises. Rappelez-vous : il faut avoir l'esprit et les yeux parfaitement détendus, et, de plus, il faut être patient.
Il existe plusieurs façons de regarder des images imprimées tridimensionnelles selon leur taille, leur support et les reflets de la lumière sur leur surface.

INSTRUCTIONS GÉNÉRALES DE VISION :

1. Image imprimée (dans un livre, sur un poster,...)
Evitez tout reflet de lumière sur l'image. Placez l'image à hauteur de vos yeux. Posez le nez (sans timidité), contre l'image et regardez-la avec les deux yeux bien ouverts. – Vous louchez – Puis, doucement, reculez le livre de quelques centimètres, en le maintenant à la même hauteur. Laissez vos yeux posés au même endroit tout en éloignant le livre (5 cm environ toutes les 2 secondes). Votre vue devient floue. Vous avez le sentiment de "flotter dans l'image."
Laissez-vous aller, ne pensez à rien, et observez l'image floue sans la regarder, sans chercher à mettre au point. Continuez à éloigner doucement la page imprimée (ou à vous éloigner du poster).
A une certaine distance (de 40 à 120 cm en fonction du format) vous sentirez que cela "arrive", que quelque chose se passe dans votre vision... Arrêtez-vous à cette distance et ne bougez plus les yeux. Concentrez-vous bien à ce moment là car vous aurez envie instinctivement de "mettre au point" pour regarder l'image.
Soudain, l'image apparaît nettement : vous voyez une scène en relief avec plusieurs niveaux de profondeur. Vous avez même envie de toucher les composants de ce spectacle ! Vous y êtes ! Bienvenue dans la troisième dimension !
Soyez patient et recommencez en cas d'échec : il faut un peu de pratique et l'on ne réussit pas nécessairement du premier coup.
En fonction de la vue de chacun le temps peut varier jusqu'à ce que l'image tridimensionnelle devienne claire.
Autre méthode : si vous éprouvez des difficultés à acquérir l'image en suivant ces conseils, essayez différemment : regardez à hauteur de vos yeux, à une distance moyenne (de 60 à 120 cm) ; fixez votre reflet ou le reflet de la lumière sur le papier glacé, puis regardez à travers l'image imprimée comme si vous vouliez fixer un point situé à distance, derrière elle. Focalisez sur une partie de la page. Lorsque les formes commencent à vibrer ou à glisser, l'image est sur le point de se former.

2. Si l'image imprimée est sous verre
Commencez par fixer votre propre reflet sur le verre de protection. Puis regardez au-delà de votre reflet, comme si vous lorgniez par une fenêtre. Gardez le regard fixe jusqu'à ce que l'image tridimensionnelle apparaisse. Quand vous aurez "acquis" l'image une première fois, il sera plus facile de renouveler l'expérience.

3. Une technique alternative
Commencez par fixer un objet à une certaine distance.
Maintenez ce point focal et interposez l'image imprimée entre vos yeux et l'objet éloigné. L'image imprimée vous paraîtra brouillée. Gardez néanmoins vos yeux à la même distance, dans le vague, sans rien fixer de précis. Déplacez lentement l'image en avant ou en arrière. Lorsque vous aurez atteint la bonne distance, l'image tridimensionnelle apparaîtra soudain.

Mythique chevauchée

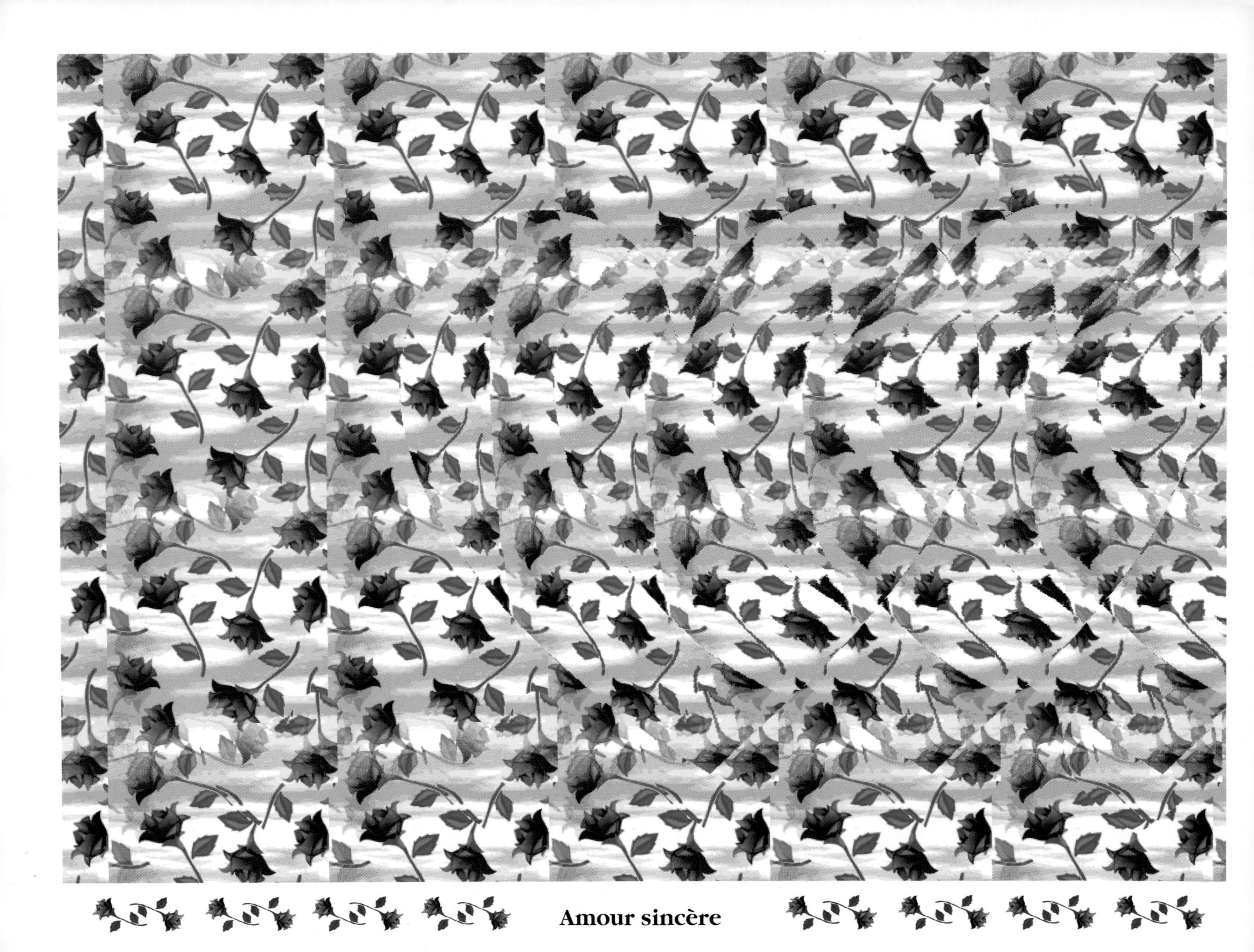

Amour sincère

Prédateurs des abysses

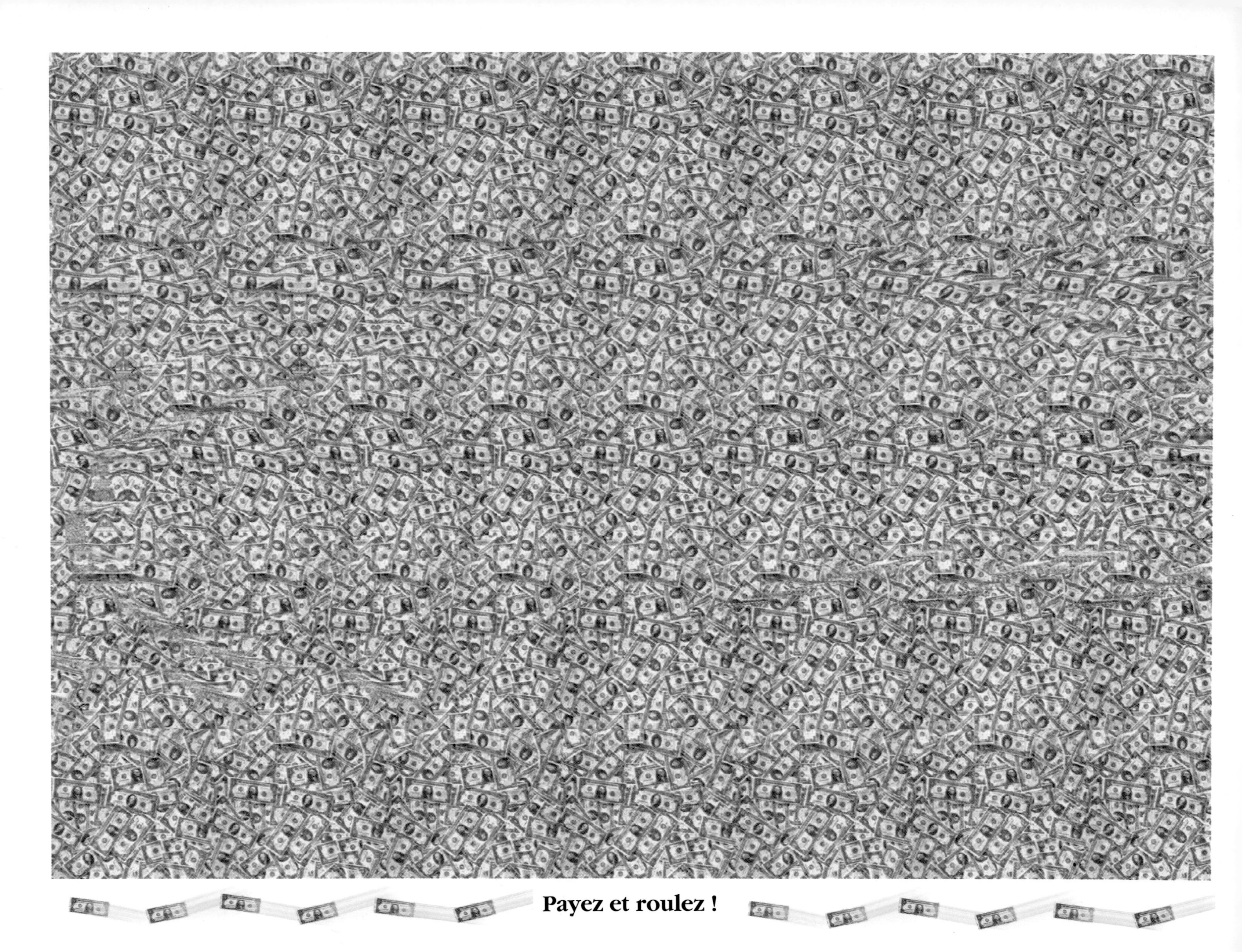

Payez et roulez !

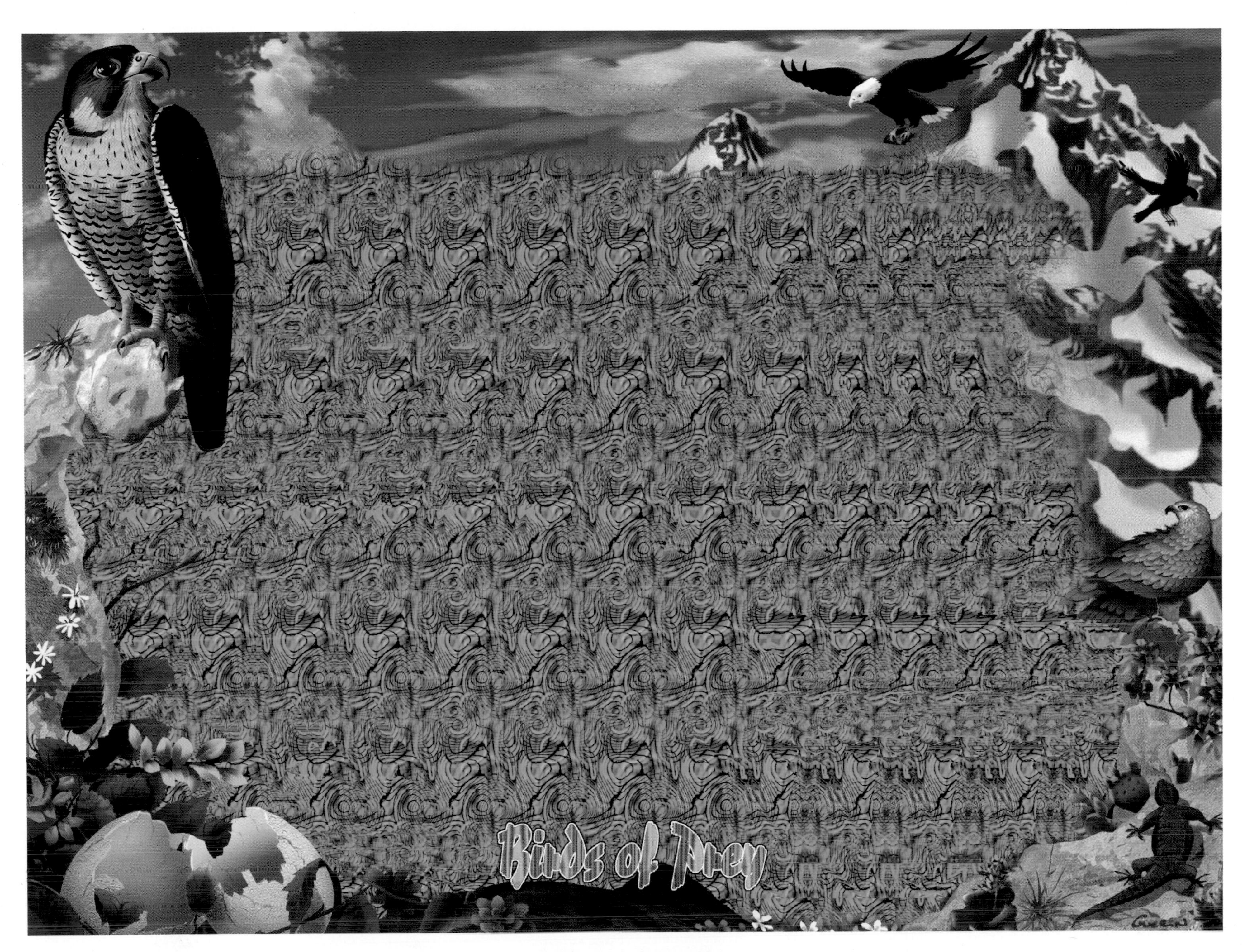

Oiseaux de proie

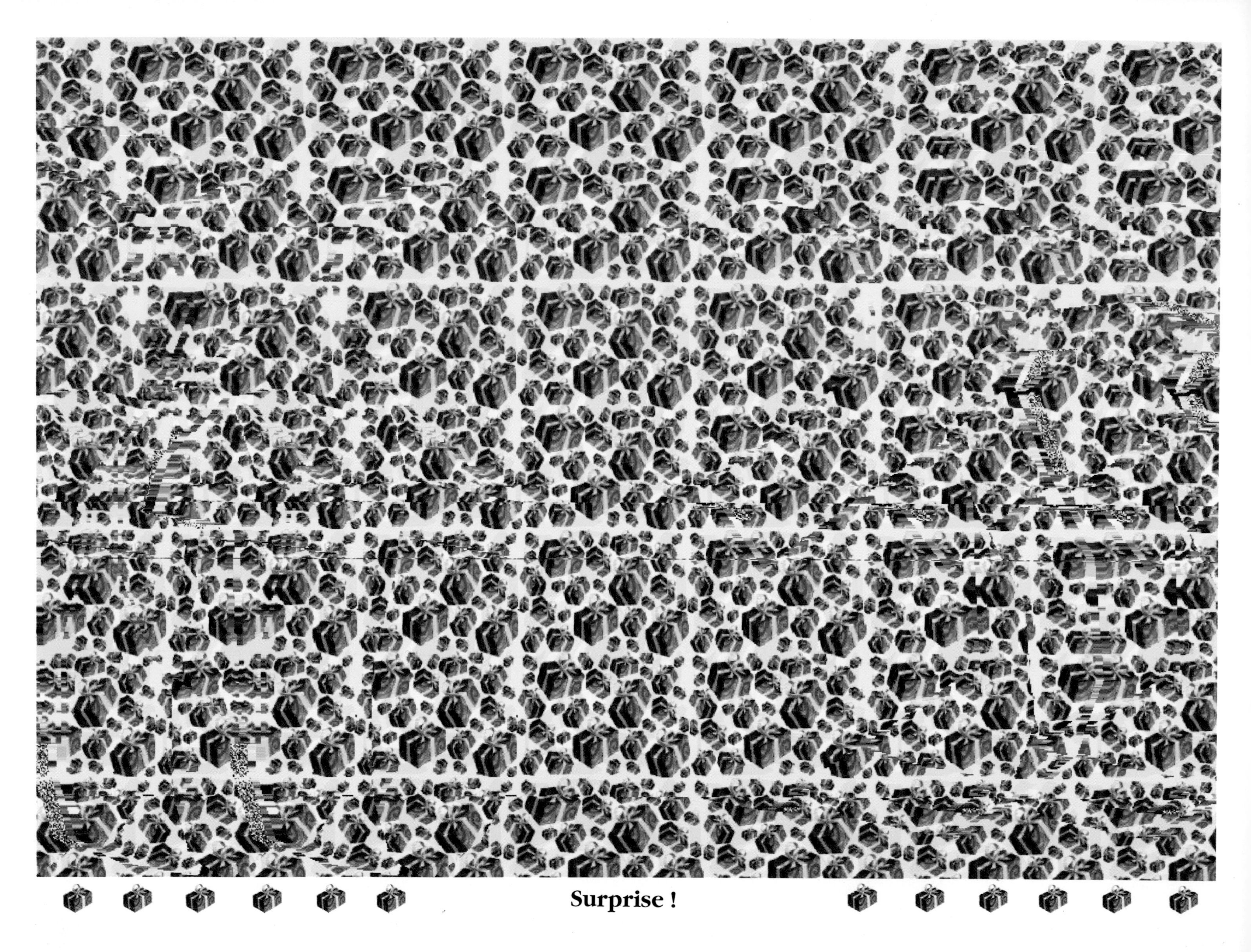

Surprise !

Le cri dans la nuit

Le lion

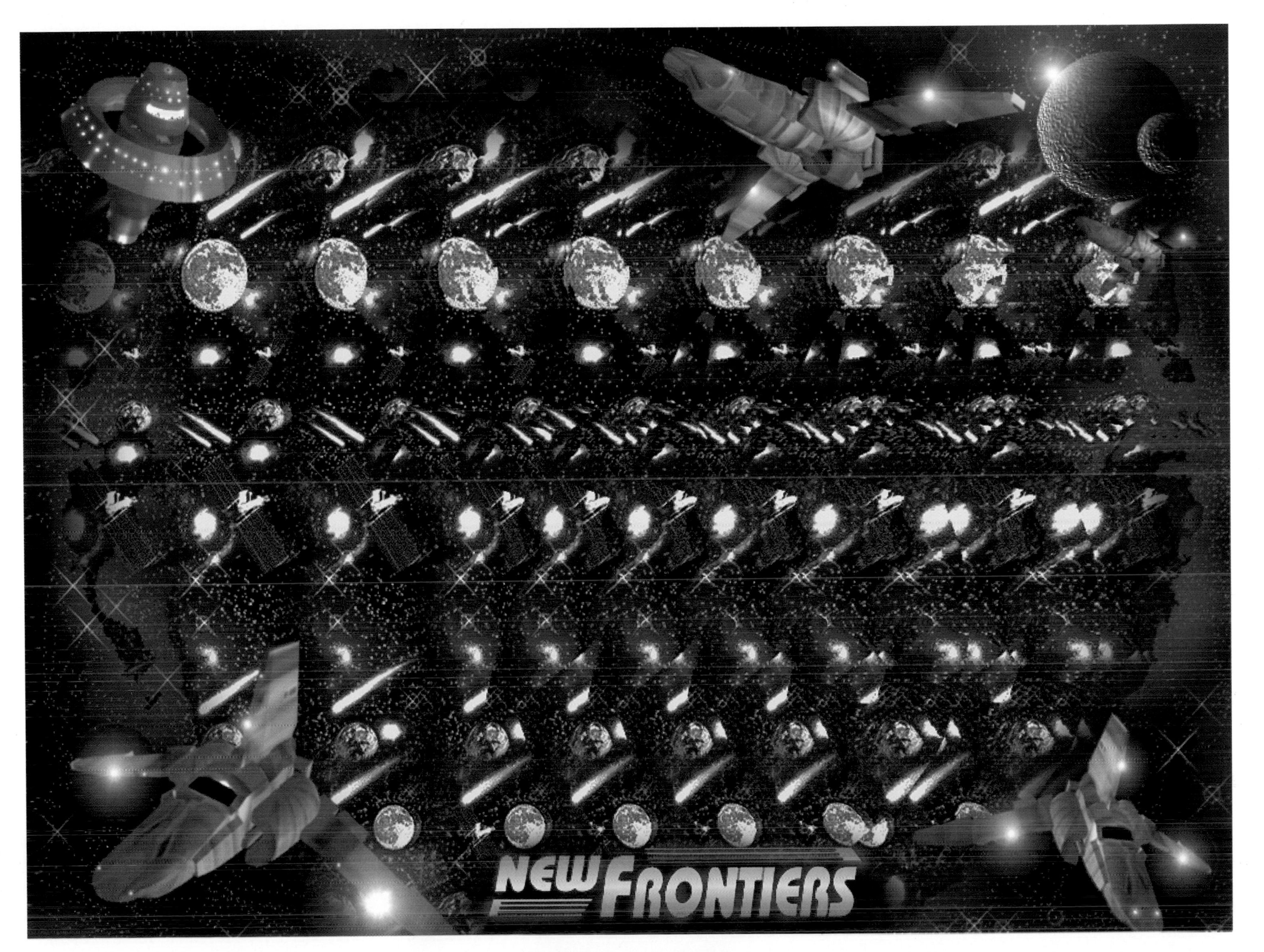

Nouveaux espaces

Embrasse-moi !

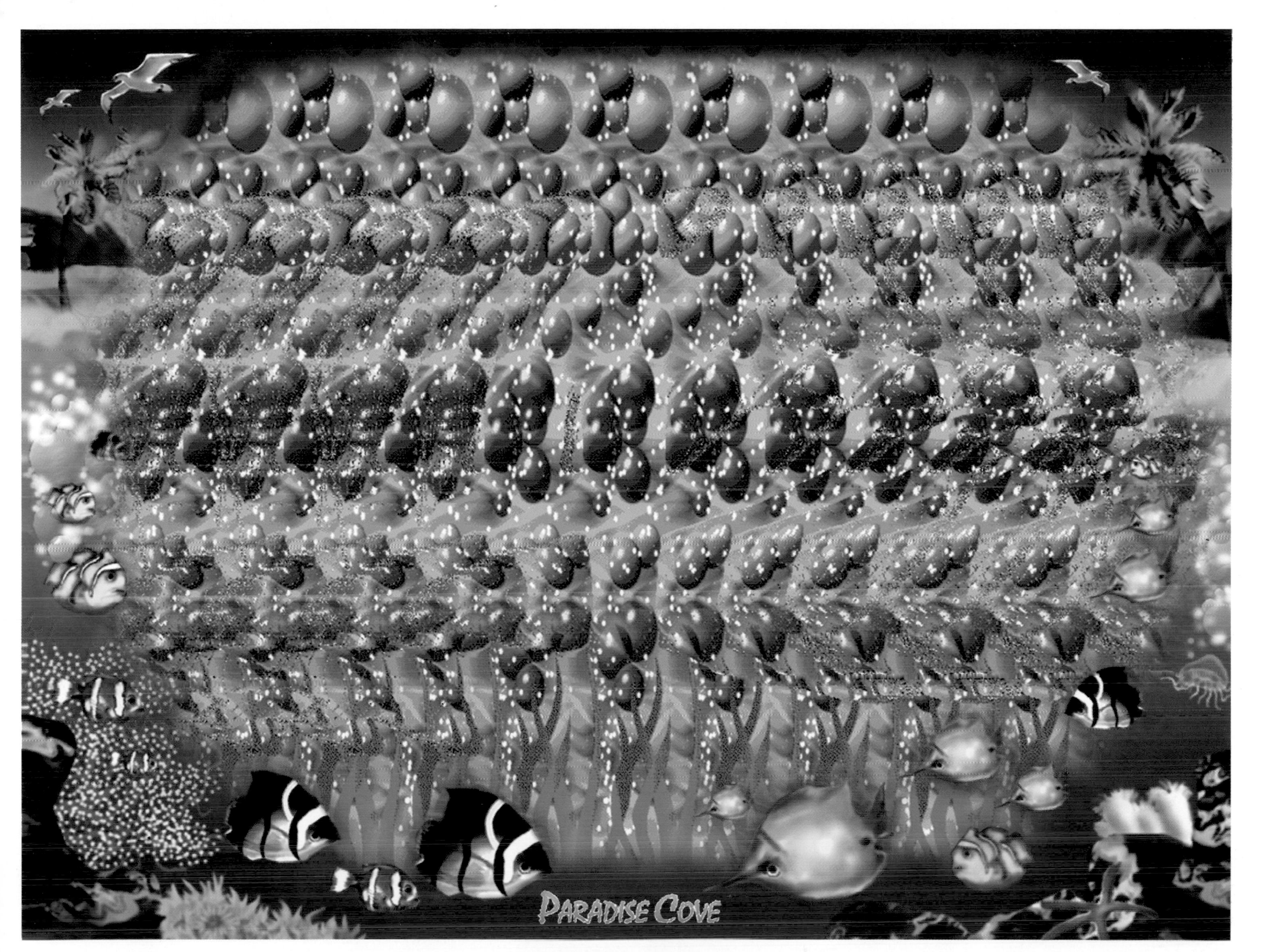

Coin de paradis

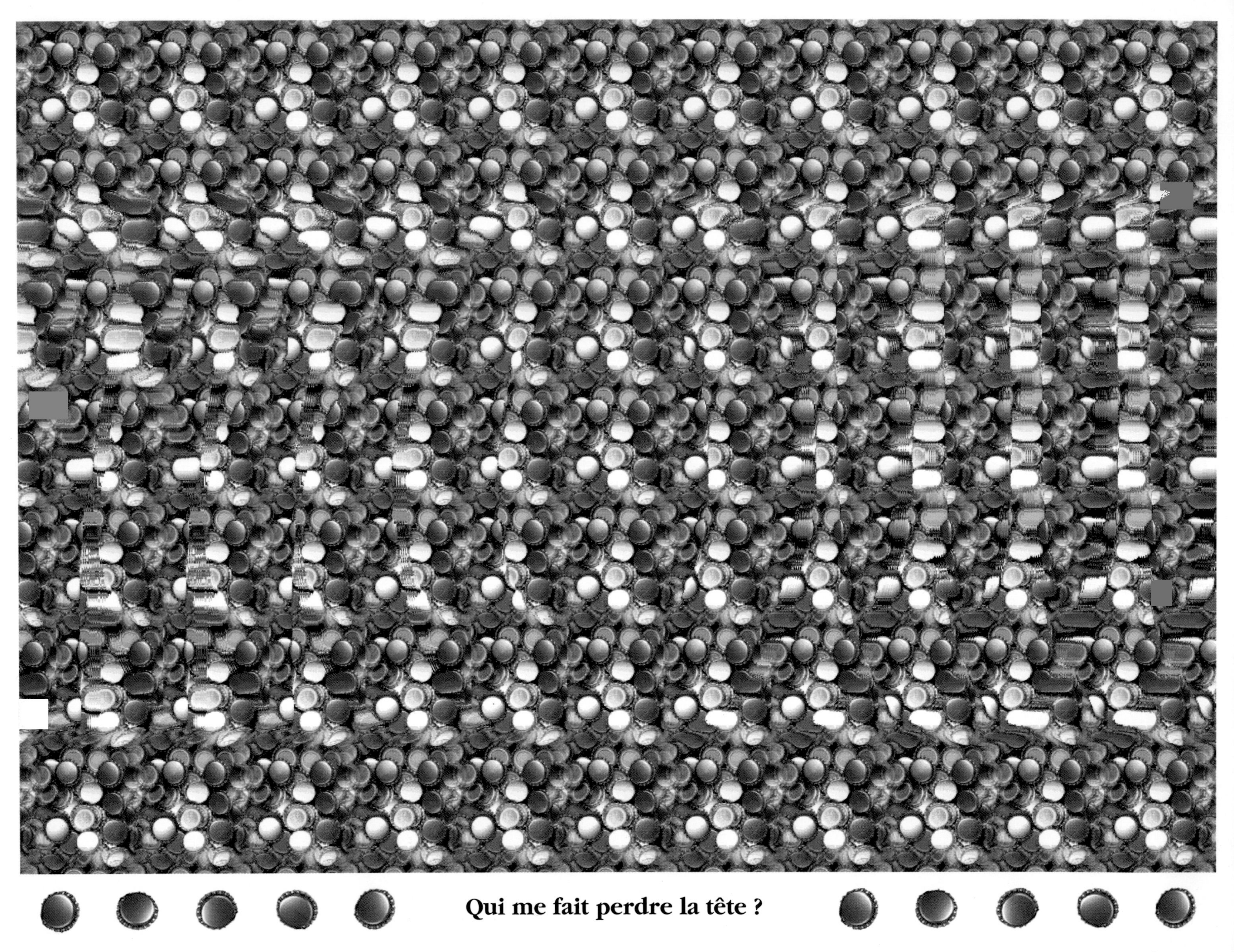

Qui me fait perdre la tête ?

Mystiques destriers

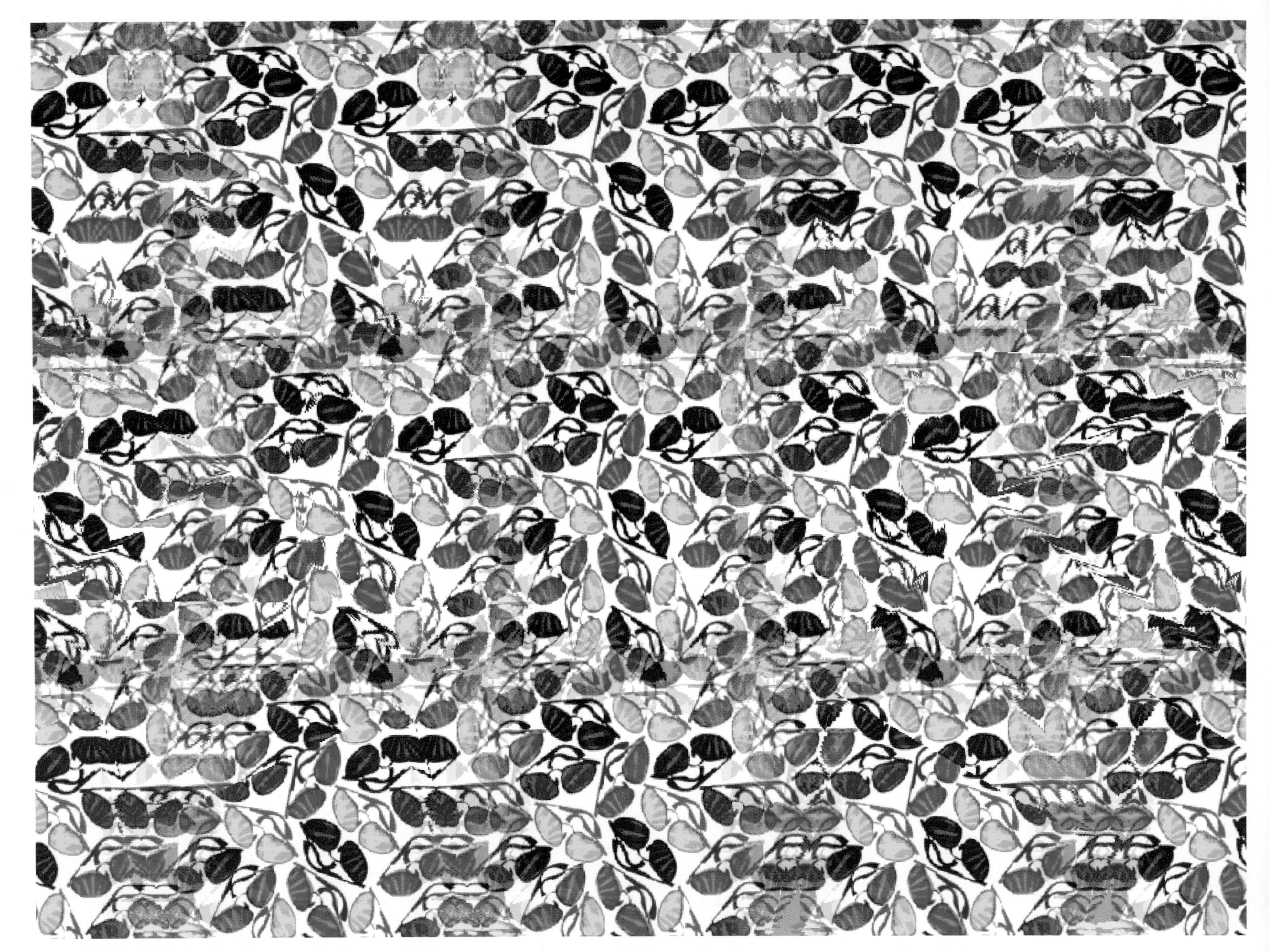

Lunettes de soleil

Secrets de la jungle

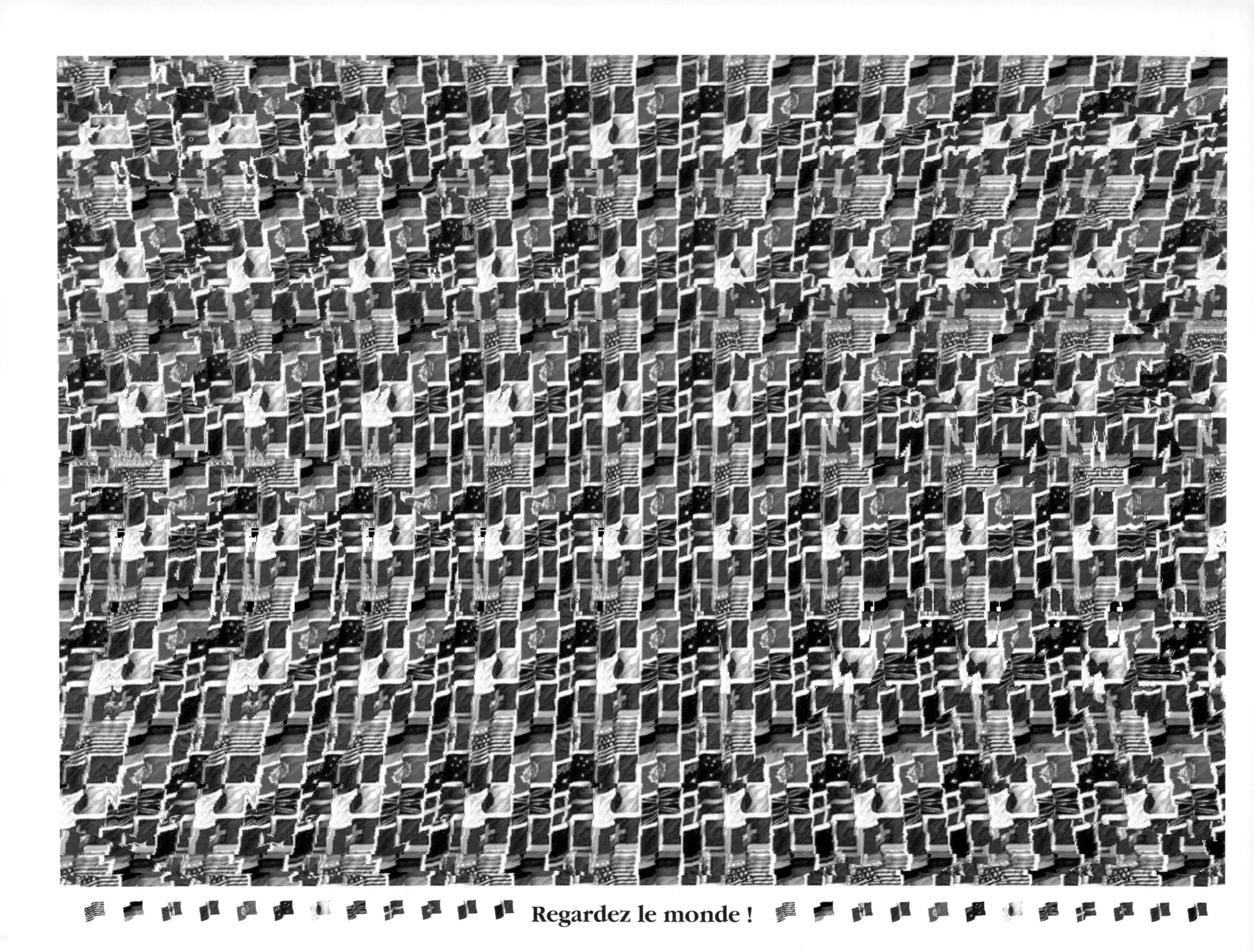

Regardez le monde !

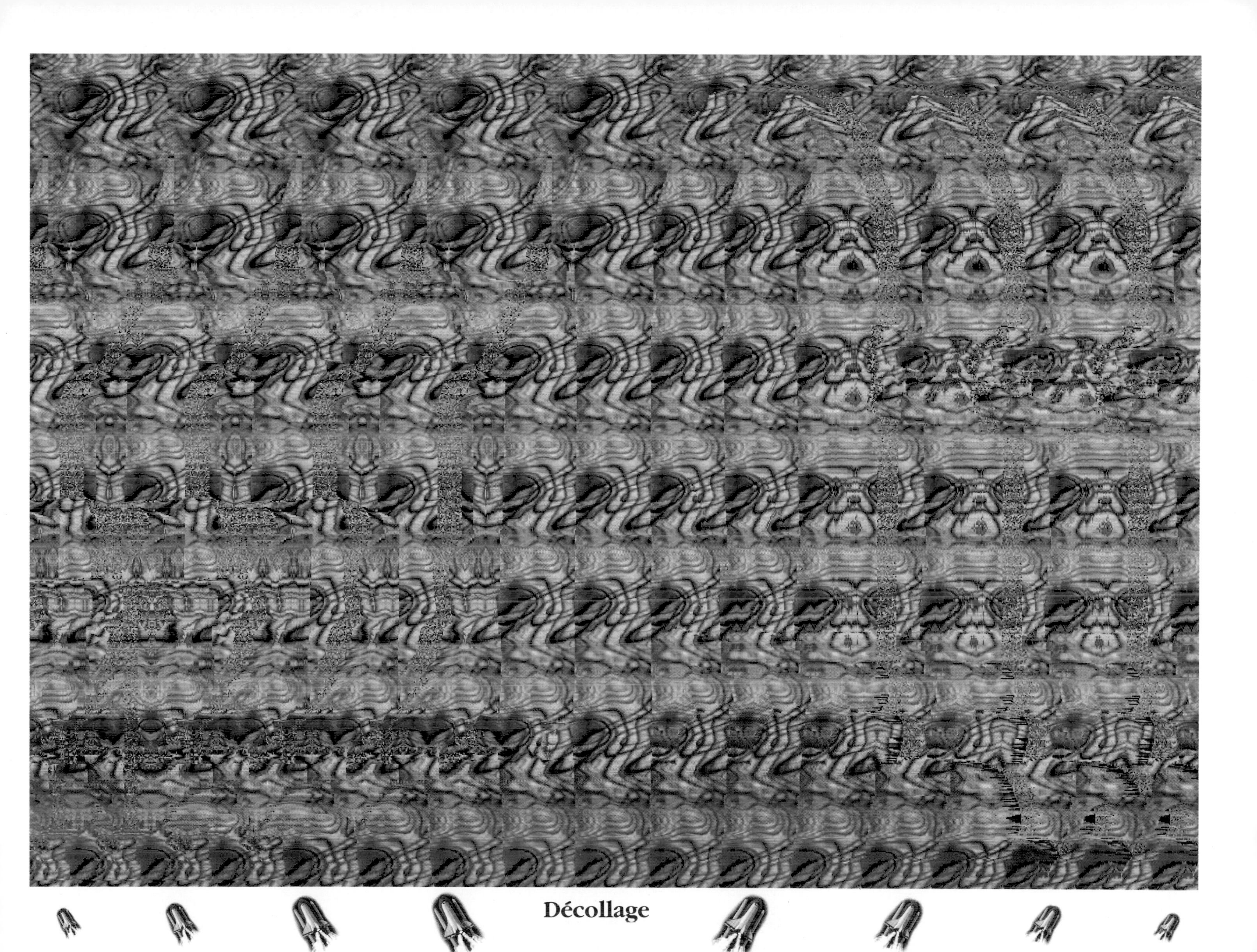

Décollage

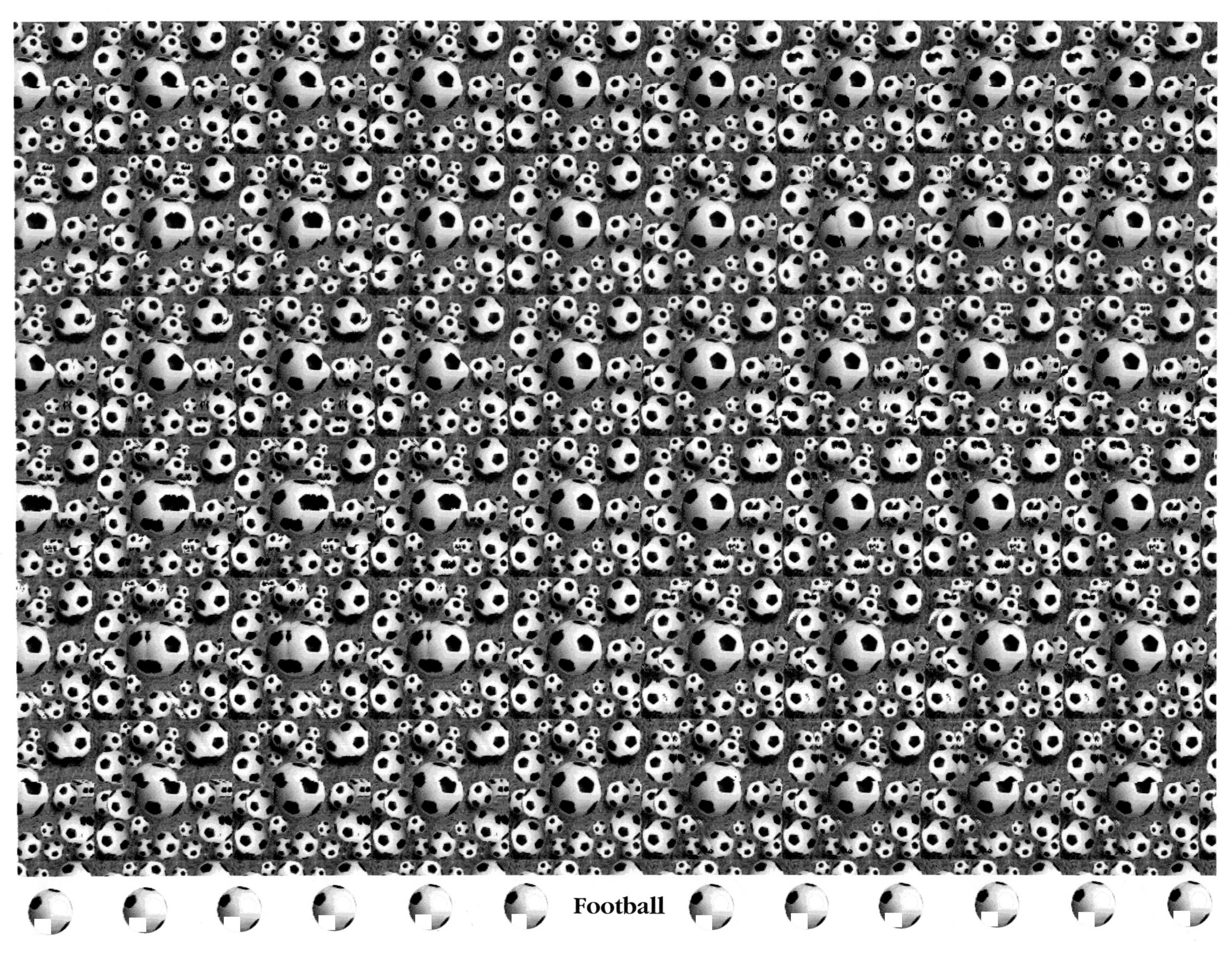

Football

L'Atlantide

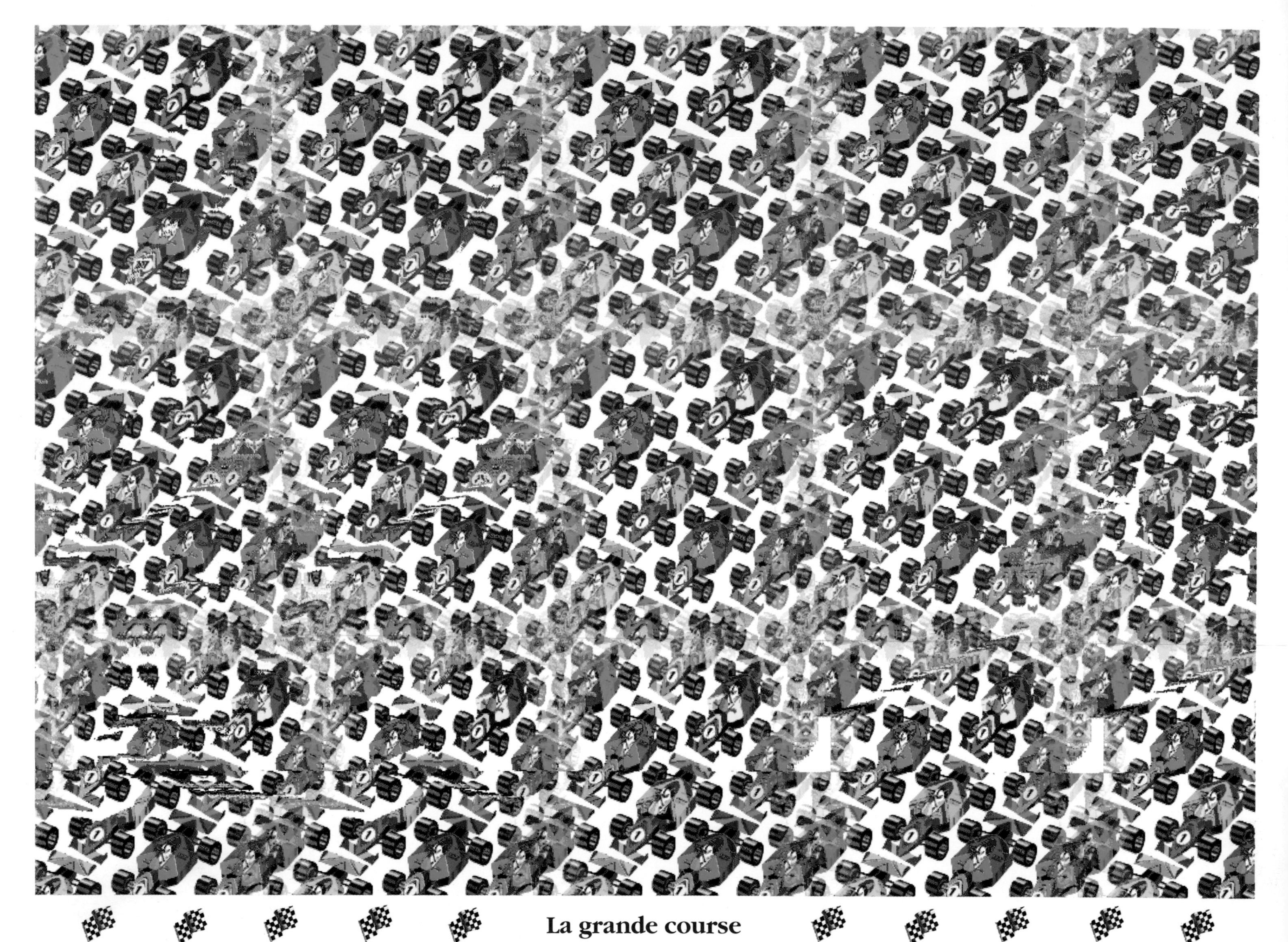

La grande course

Jazz

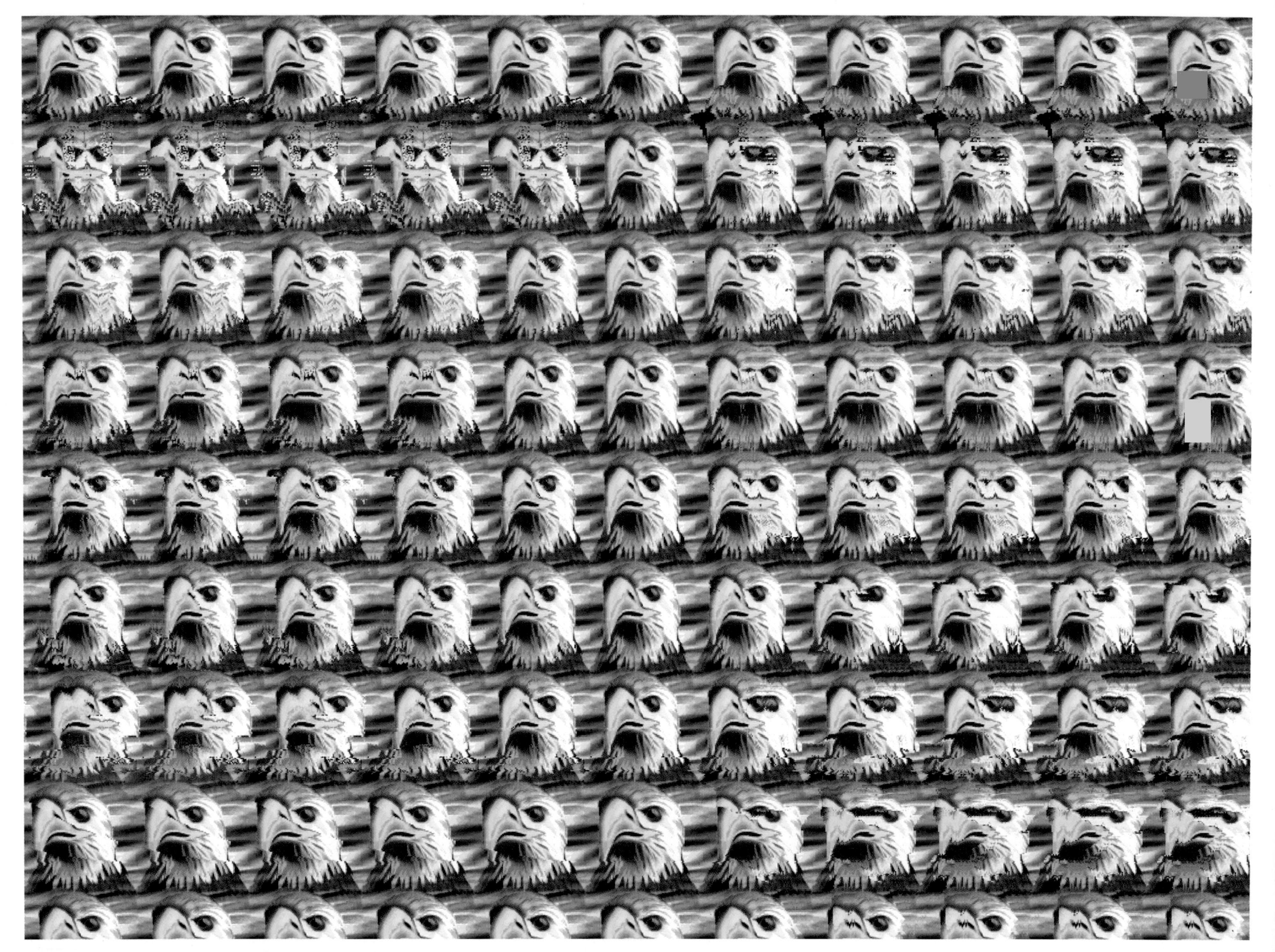

Aigle

Tyrannosaurus rex

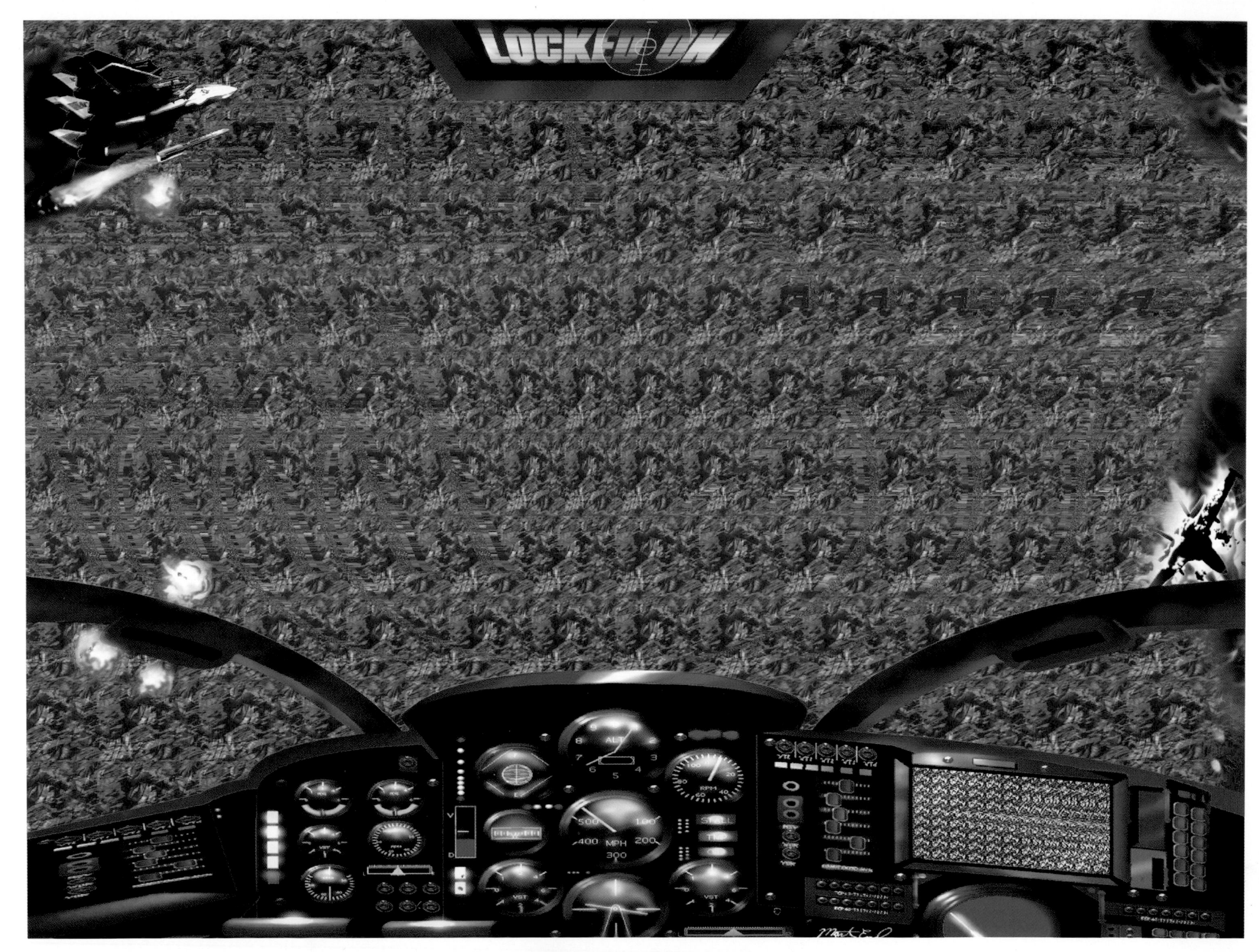

Objectif accroché !

Récif de cristal

LES IMAGES CACHÉES

Mythique chevauchée

1

Amour sincère

2

Prédateurs des abysses

3

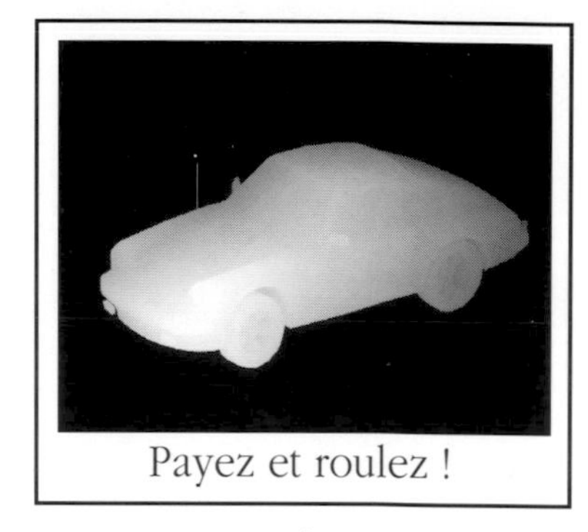

Payez et roulez !

4

Oiseaux de proie

5

Surprise !

6

Le cri dans la nuit

7

Le lion

8

Nouveaux espaces

9

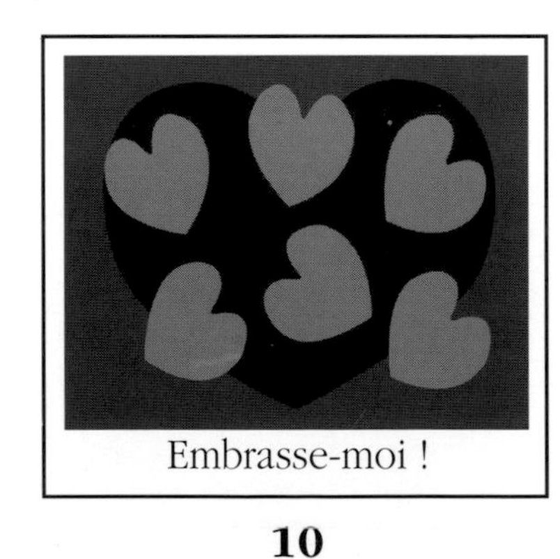

Embrasse-moi !

10

Coin de paradis

11

Qui me fait perdre la tête ?

12

LES IMAGES CACHÉES

Mystiques destriers

13

Lunettes de soleil

14

Secrets de la jungle

15

Regardez le monde !

16

Décollage

17

Football

18

L'Atlantide

19

La grande course

20

Aigle

22

Tyrannosaurus rex

23

Objectif accroché !

24

Récif de cristal

25

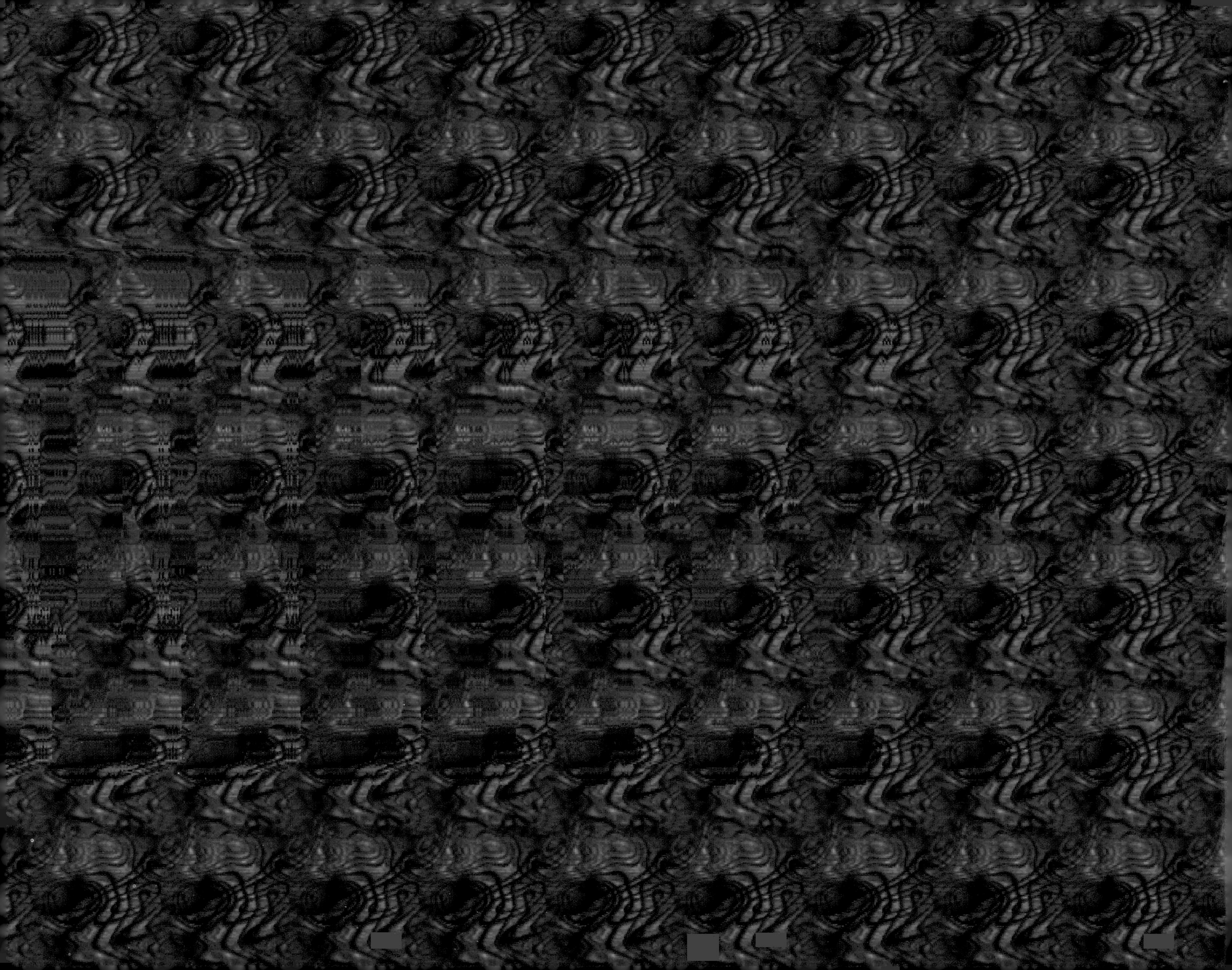